SUKEN NOTEBOOK

チャート式
基礎からの　数学 III

完成ノート

【関数，極限】

本書は，数研出版発行の参考書「チャート式 基礎からの　数学 III」の
第１章「関数」，　第２章「極限」
の例題と練習の全問を掲載した，書き込み式ノートです。
本書を仕上げていくことで，自然に実力を身につけることができます。

目　次

231202

1．分数関数・無理関数

基本 例題 1

□ 解説動画

(1)　関数 $y=\dfrac{3x}{x-2}$ のグラフをかけ。また，漸近線を求めよ。

(2)　(1) において，定義域が $4\leqq x\leqq 8$ のとき，値域を求めよ。

練習 (基本) **1**　(1)　次の関数のグラフをかけ。また，漸近線を求めよ。

(ア)　$y=\dfrac{3x+5}{x+1}$

(イ)　$y=\dfrac{-2x+5}{x-3}$

(ウ)　$y=\dfrac{x-2}{2x+1}$

(2)　(1) の (ア), (イ) の各関数において，$2 \leqq x \leqq 4$ のとき y のとりうる値の範囲を求めよ。

基本 例題 2

(1) 関数 $y=\dfrac{3x+17}{x+4}$ のグラフは，関数 $y=\dfrac{x+8}{x+3}$ のグラフをどのように平行移動したものか。

(2) 関数 $y=\dfrac{ax+b}{x+c}$ のグラフが，2 直線 $x=3$ と $y=1$ を漸近線とし，更に点 $(2,\ 2)$ を通るとき，定数 a，b，c の値を求めよ。

練習 (基本) **2**　(1)　関数 $y=\dfrac{-6x+21}{2x-5}$ のグラフは，関数 $y=\dfrac{8x+2}{2x-1}$ のグラフをどのように平行移動したものか。

(2)　関数 $y=\dfrac{2x+c}{ax+b}$ のグラフが点 $\left(-2,\ \dfrac{9}{5}\right)$ を通り，2 直線 $x=-\dfrac{1}{3}$，$y=\dfrac{2}{3}$ を漸近線にもつとき，定数 a，b，c の値を求めよ。

基本 例題 3

□ 

(1) 関数 $y=\dfrac{2}{x+3}$ のグラフと直線 $y=x+4$ の共有点の座標を求めよ。

(2) 不等式 $\dfrac{2}{x+3}<x+4$ を解け。

練習 (基本) **3**　(1)　関数 $y=\dfrac{4x-3}{x-2}$ のグラフと直線 $y=5x-6$ の共有点の座標を求めよ。

(2)　不等式 $\dfrac{4x-3}{x-2} \geqq 5x-6$ を解け。

基本 例題 4

□ 解説動画

次の方程式，不等式を解け。

(1) $\dfrac{2}{x(x+2)}-\dfrac{x}{2(x+2)}=0$

(2) $\dfrac{3-2x}{x-4}\leqq x$

練習 (基本) **4** 次の方程式，不等式を解け。

(1) $2-\dfrac{6}{x^2-9}=\dfrac{1}{x+3}$

(2) $\dfrac{4x-7}{x-1} \leqq -2x+1$

基本 例題 5

□ 

k は定数とする。方程式 $\dfrac{x-5}{x-2}=3x+k$ の実数解の個数を調べよ。

練習 (基本) **5**　k は定数とする。方程式 $\dfrac{2x+9}{x+2}=-\dfrac{x}{5}+k$ の実数解の個数を調べよ。

基 本 例題 6

□ 

(1) 関数 $y=\sqrt{2x+3}$ のグラフをかけ。また，この関数の定義域が $0 \leqq x \leqq 3$ であるとき，値域を求めよ。

(2) 関数 $y=\sqrt{4-x}$ の定義域が $a \leqq x \leqq b$ であるとき，値域が $1 \leqq y \leqq 2$ となるように定数 a，b の値を定めよ。

練習 (基本) **6**　(1)　次の関数のグラフをかけ。また，値域を求めよ。

(ア)　$y=\sqrt{3x-4}$

(イ)　$y=\sqrt{-2x+4}$　$(-2\leqq x\leqq 1)$

(ウ)　$y=\sqrt{2-x}-1$

(2)　関数 $y=\sqrt{2x+4}$　$(a\leqq x\leqq b)$ の値域が $1\leqq y\leqq 3$ であるとき，定数 a，b の値を求めよ。

基本 例題 7

□ 

$y=\sqrt{2x-3}$ ……① と $y=x-3$ ……② について

(1) 2つの関数のグラフの共有点の座標を求めよ。

(2) 不等式 $\sqrt{2x-3}>x-3$ を満たす x の値の範囲を求めよ。

練習 (基本) **7** (1) 直線 $y=8x-2$ と関数 $y=\sqrt{16x-1}$ のグラフの共有点の座標を求めよ。

(2) 次の不等式を満たす x の値の範囲を求めよ。

(ア) $\sqrt{3-x}>x-1$

(イ) $x+2\leqq\sqrt{4x+9}$

(ウ) $\sqrt{x}+x<6$

基本 例題 8

□ 

次の方程式，不等式を解け。

(1) $\sqrt{x^2-1}=x+3$

(2) $\sqrt{25-x^2}>3x-5$

練習 (基本) **8**　次の方程式，不等式を解け。

(1) $\sqrt{x+3}=|2x|$

(2) $\sqrt{4-x^2} \leqq 2(x-1)$

(3) $\sqrt{4x-x^2} > 3-x$

基本 例題 9

□ 

方程式 $2\sqrt{x-1}=\frac{1}{2}x+k$ の実数解の個数を，定数 k の値によって調べよ。

練習 (基本) **9**　方程式 $\sqrt{2x+1}=x+k$ の実数解の個数を，定数 k の値によって調べよ。

2. 逆関数と合成関数

基本 例題 10

□ 

次の関数の逆関数を求めよ。また，そのグラフをかけ。

(1) $y=\dfrac{3}{x}+2$ $(x>0)$

(2) $y=\sqrt{-2x+4}$

(3) $y=2^x+1$

練習 (基本) **10**　次の関数の逆関数を求めよ。また，そのグラフをかけ。

(1)　$y=-2x+1$

(2)　$y=\frac{x-2}{x-3}$

(3) $y=-\frac{1}{2}(x^2-1)$ $(x \geqq 0)$

(4) $y=-\sqrt{2x-5}$

(5) $y=\log_3(x+2)$ $(1 \leqq x \leqq 7)$

基本 例題 11

□ 

a，b は定数で，$ab \fallingdotseq 1$ とする。関数 $y=\dfrac{bx+1}{x+a}$ ……① の逆関数が，もとの関数と一致するための条件を求めよ。

練習 (基本) **11**　(1)　$a \fallingdotseq 0$ とする。関数 $f(x)=2ax-5a^2$ について，$f^{-1}(x)$ と $f(x)$ が一致するような定数 a の値を求めよ。

(2) 関数 $y=\dfrac{ax+b}{x+2}$ $(b \fallingdotseq 2a)$ のグラフは点 $(1,\ 1)$ を通り，また，この関数の逆関数はもとの関数と一致する。定数 a，b の値を求めよ。

基本 例題 12 □ 

$f(x)=\sqrt{x+1}-1$ の逆関数を $f^{-1}(x)$ とするとき，$y=f(x)$ のグラフと $y=f^{-1}(x)$ のグラフの共有点の座標を求めよ。

練習 (基本) **12**　$f(x)=-\frac{1}{2}x^2+2\ (x \leqq 0)$ の逆関数を $f^{-1}(x)$ とするとき，$y=f(x)$ のグラフと $y=f^{-1}(x)$ のグラフの共有点の座標を求めよ。

重 要 例題 13

□ 

$f(x)=x^2-2x+k$ $(x\geqq 1)$ の逆関数を $f^{-1}(x)$ とする。$y=f(x)$ のグラフと $y=f^{-1}(x)$ のグラフが異なる 2 点を共有するとき，定数 k の値の範囲を求めよ。

練習 (重要) **13**　$a>0$ とし，$f(x)=\sqrt{ax-2}-1$ $\left(x\geqq\frac{2}{a}\right)$ とする。関数 $y=f(x)$ のグラフとその逆関数 $y=f^{-1}(x)$ のグラフが異なる 2 点を共有するとき，a の値の範囲を求めよ。

基本例題 14 □ 

(1) $f(x)=x+2$, $g(x)=2x-1$, $h(x)=-x^2$ とするとき

(ア) $(g\circ f)(x)$, $(f\circ g)(x)$ を求めよ。

(イ) $(h\circ(g\circ f))(x)=((h\circ g)\circ f)(x)$ を示せ。

(2) 2つの関数 $f(x)=x^2-2x+3$, $g(x)=\dfrac{1}{x}$ について，合成関数 $(g\circ f)(x)$ の値域を求めよ。

練習 (基本) **14**　(1)　$f(x)=x-1$，$g(x)=-2x+3$，$h(x)=2x^2+1$ について，次のものを求めよ。

(ア)　$(f\circ g)(x)$

(イ)　$(g\circ f)(x)$

(ウ)　$(g\circ g)(x)$

(エ)　$((h\circ g)\circ f)(x)$

(オ)　$(f\circ(g\circ h))(x)$

(2)　関数 $f(x)=x^2-2x$，$g(x)=-x^2+4x$ について，合成関数 $(g\circ f)(x)$ の定義域と値域を求めよ。

重 要 例題 15 □ 

a，b，c，k は実数の定数で，$a \neq 0$，$k \neq 0$ とする。2 つの関数 $f(x)=ax^3+bx+c$，$g(x)=2x^2+k$ に対して，合成関数に関する等式 $g(f(x))=f(g(x))$ がすべての x について成り立つとする。このとき，a，b，c，k の値を求めよ。

練習 (重要) **15**　3 次関数 $f(x)=x^3+bx+c$ に対し，$g(f(x))=f(g(x))$ を満たすような 1 次関数 $g(x)$ をすべて求めよ。

重 要 例題 16

□ 

$x \fallingdotseq 1$, $x \fallingdotseq 2$ のとき，関数 $f(x)=\dfrac{2x-3}{x-1}$ について，$f_2(x)=f(f(x))$，$f_3(x)=f(f_2(x))$，……，$f_n(x)=f(f_{n-1}(x))$ $[n \geqq 3]$ とする。このとき，$f_2(x)$，$f_3(x)$ を計算し，$f_n(x)$ $[n \geqq 2]$ を求めよ。

練習 (重要) **16**　x の関数 $f(x)=ax+1$ $(0<a<1)$ に対し，$f_1(x)=f(x)$，$f_2(x)=f(f_1(x))$，$f_3(x)=f(f_2(x))$，……，$f_n(x)=f(f_{n-1}(x))$ $[n \geqq 2]$ とするとき，$f_n(x)$ を求めよ。

3．数列の極限

基本 例題 17

□ 解説動画

(1) 次の数列の極限を調べよ。

(ア) $\sqrt{2}$，$\sqrt{5}$，$\sqrt{8}$，$\sqrt{11}$，……

(イ) -1，$\frac{1}{4}$，$-\frac{1}{9}$，$\frac{1}{16}$，……

(2) 第 n 項が次の式で表される数列の極限を求めよ。

(ア) $1-\frac{1}{2n^3}$

(イ) $3n-n^3$

(ウ) $\frac{2n^2-3n}{n^2+1}$

練習 (基本) **17** (1) 数列 $\frac{1}{2}$, $\frac{2}{3}$, $\frac{3}{4}$, $\frac{4}{5}$, …… の極限を調べよ。

(2) 第 n 項が次の式で表される数列の極限を求めよ。

(ア) $\sqrt{4n-2}$

(イ) $\frac{n}{1-n^2}$

(ウ) $n^4+(-n)^3$

(エ) $\frac{3n^2+n+1}{n+1}-3n$

基本 例題 18

第 n 項が次の式で表される数列の極限を求めよ。

(1) $\dfrac{4n}{\sqrt{n^2+2n}+n}$

(2) $\dfrac{1}{\sqrt{2n+1}-\sqrt{2n}}$

(3) $\sqrt{n^2+2n}-n$

(4) $\log_2 \sqrt[n]{3}$

(5) $\cos n\pi$

練習 (基本) **18**　第 n 項が次の式で表される数列の極限を求めよ。

(1)　$\dfrac{2n+3}{\sqrt{3n^2+n}+n}$

(2)　$\dfrac{1}{\sqrt{n^2+n}-n}$

(3)　$n(\sqrt{n^2+2}-\sqrt{n^2+1})$

(4) $\dfrac{\sqrt{n+1}-\sqrt{n-1}}{\sqrt{n+3}-\sqrt{n}}$

(5) $\log_3 \dfrac{\sqrt[n]{7}}{5^n}$

(6) $\sin \dfrac{n\pi}{2}$

(7) $\tan n\pi$

基本 例題 19

□ 

次の極限を求めよ。

(1) $\displaystyle\lim_{n\to\infty}\frac{3+7+11+\cdots\cdots+(4n-1)}{3+5+7+\cdots\cdots+(2n+1)}$

(2) $\displaystyle\lim_{n\to\infty}\left\{\log_3(1^2+2^2+\cdots\cdots+n^2)-\log_3 n^3\right\}$

練習 (基本) **19**　次の極限を求めよ。

(1)　$\displaystyle\lim_{n\to\infty}\frac{(n+1)^2+(n+2)^2+\cdots\cdots+(2n)^2}{1^2+2^2+\cdots\cdots+n^2}$

(2)　$\displaystyle\lim_{n\to\infty}\{\log_2(1^3+2^3+\cdots\cdots+n^3)-\log_2(n^4+1)\}$

基本 例題 20

□ 解説動画

(1)　数列 $\{a_n\}$ ($n=1$, 2, 3, ……) が $\lim_{n\to\infty}(3n-1)a_n=-6$ を満たすとき，$\lim_{n\to\infty} na_n=$ □ である。

(2)　$\lim_{n\to\infty}(\sqrt{n^2+an+2}-\sqrt{n^2-n})=5$ であるとき，定数 a の値を求めよ。

練習 (基本) **20** (1) 次の関係を満たす数列 $\{a_n\}$ について，$\lim_{n\to\infty} a_n$ と $\lim_{n\to\infty} na_n$ を求めよ。

(ア) $\lim_{n\to\infty}(2n-1)a_n=1$

(イ) $\lim_{n\to\infty}\dfrac{a_n-3}{2a_n+1}=2$

(2) $\lim_{n\to\infty}(\sqrt{n^2+an+2}-\sqrt{n^2+2n+3})=3$ が成り立つとき，定数 a の値を求めよ。

基本 例題 21

□ 

(1) 極限 $\lim_{n\to\infty}\dfrac{\cos n\pi}{n}$ を求めよ。

(2) $a_n=\dfrac{1}{n^2+1}+\dfrac{1}{n^2+2}+\cdots\cdots+\dfrac{1}{n^2+n}$ とするとき，$\lim_{n\to\infty}a_n$ を求めよ。

練習 (基本) **21**　次の極限を求めよ。

(1)　$\displaystyle\lim_{n\to\infty}\frac{1}{n+1}\sin\frac{n\pi}{2}$

(2)　$\displaystyle\lim_{n\to\infty}\left\{\frac{1}{(n+1)^2}+\frac{1}{(n+2)^2}+\cdots\cdots+\frac{1}{(2n)^2}\right\}$

(3)　$\displaystyle\lim_{n\to\infty}\left(\frac{1}{\sqrt{n^2+1}}+\frac{1}{\sqrt{n^2+2}}+\cdots\cdots+\frac{1}{\sqrt{n^2+n}}\right)$

基本 例題 22

□ 

n は $n \geqq 3$ の整数とする。

(1) 不等式 $2^n > \frac{1}{6}n^3$ が成り立つことを，二項定理を用いて示せ。

(2) $\displaystyle\lim_{n\to\infty}\frac{n^2}{2^n}$ の値を求めよ。

練習 (基本) **22** n を正の整数とする。また，$x \geqq 0$ とする。

(1) 不等式 $(1+x)^n \geqq 1+nx+\frac{1}{2}n(n-1)x^2$ を用いて，$\left(1+\sqrt{\frac{2}{n}}\right)^n > n$ が成り立つことを示せ。

(2) (1) で示した不等式を用いて，$\lim_{n\to\infty} n^{\frac{1}{n}}$ の値を求めよ。

基本 例題 23

(1) 実数 x に対して $[x]$ を $m \leqq x < m+1$ を満たす整数 m とする。このとき，$\lim_{n\to\infty} \frac{[10^{2n}\pi]}{10^{2n}}$ を求めよ。

(2) 数列 $\{a_n\}$ の第 n 項 a_n は n 桁の正の整数とする。このとき，極限 $\lim_{n\to\infty} \frac{\log_{10} a_n}{n}$ を求めよ。

練習 (基本) **23** 実数 α に対して α を超えない最大の整数を $[\alpha]$ と書く。[ ] をガウス記号という。

(1) 自然数 m の桁数 k をガウス記号を用いて表すと，$k = [\boxed{}]$ である。

(2) 自然数 n に対して 3^n の桁数を k_n で表すと，$\lim_{n\to\infty}\frac{k_n}{n}=\boxed{}$ である。

基本 例題 24

□ 解説動画

第 n 項が次の式で表される数列の極限を求めよ。

(1) $2\left(-\frac{3}{4}\right)^{n-1}$

(2) $5^n-(-4)^n$

(3) $\frac{3^{n+1}-2^n}{3^n+2^n}$

(4) $\frac{r^n}{2+r^{n+1}}$ $(r>-1)$

練習 (基本) **24**　第 n 項が次の式で表される数列の極限を求めよ。

(1) $\left(\dfrac{3}{2}\right)^n$

(2) 3^n-2^n

(3) $\dfrac{3^n-1}{2^n+1}$

(4) $\dfrac{2^n+1}{(-3)^n-2^n}$

(5) $\dfrac{r^{2n+1}-1}{r^{2n}+1}$ (r は実数)

基本 例題 25

数列 $\left\{\left(\dfrac{5x}{x^2+6}\right)^n\right\}$ が収束するように，実数 x の値の範囲を定めよ。また，そのときの数列の極限値を求めよ。

練習 (基本) **25**　次の数列が収束するように，実数 x の値の範囲を定めよ。また，そのときの数列の極限値を求めよ。

(1)　$\left\{\left(\dfrac{2}{3}x\right)^n\right\}$

(2) $\{(x^2-4x)^n\}$

(3) $\left\{\left(\dfrac{x^2+2x-5}{x^2-x+2}\right)^n\right\}$

基本 例題 26

次の条件によって定められる数列 $\{a_n\}$ の極限を求めよ。

(1) $a_1=1$, $a_{n+1}=\dfrac{1}{2}a_n+1$

(2) $a_1=5$, $a_{n+1}=2a_n-4$

練習 (基本) **26** 次の条件によって定められる数列 $\{a_n\}$ の極限を求めよ。

(1) $a_1=2$, $a_{n+1}=3a_n+2$

(2) $a_1=1$, $2a_{n+1}=6-a_n$

基本 例題 27

□ 

次の条件によって定められる数列 $\{a_n\}$ の極限値を求めよ。

$$a_1=0,\ a_2=1,\ a_{n+2}=\frac{1}{4}(a_{n+1}+3a_n)$$

練習 (基本) **27** 次の条件によって定められる数列 $\{a_n\}$ の極限値を求めよ。

$$a_1=1,\ a_2=3,\ 4a_{n+2}=5a_{n+1}-a_n$$

基本 例題 28

数列 $\{a_n\}$ が $a_1=3$，$a_{n+1}=\dfrac{3a_n-4}{a_n-1}$ によって定められるとき

(1) $b_n=\dfrac{1}{a_n-2}$ とおくとき，b_{n+1}，b_n の関係式を求めよ。

(2) 数列 $\{a_n\}$ の一般項を求めよ。

(3) $\displaystyle\lim_{n\to\infty} a_n$ を求めよ。

練習 (基本) **28**　$a_1=5$，$a_{n+1}=\dfrac{5a_n-16}{a_n-3}$ で定められる数列 $\{a_n\}$ について

(1)　$b_n=a_n-4$ とおくとき，b_{n+1} を b_n で表せ。

(2)　数列 $\{a_n\}$ の一般項を求めよ。

(3)　$\lim_{n\to\infty} a_n$ を求めよ。

基本 例題 29

$P_1(1,\ 1)$，$x_{n+1}=\dfrac{1}{4}x_n+\dfrac{4}{5}y_n$，$y_{n+1}=\dfrac{3}{4}x_n+\dfrac{1}{5}y_n$ $(n=1,\ 2,\ \cdots\cdots)$ を満たす平面上の点列 $P_n(x_n,\ y_n)$ がある。点列 P_1，P_2，…… はある定点に限りなく近づくことを証明せよ。

練習 (基本) **29**　数列 $\{a_n\}$, $\{b_n\}$ を $a_1=b_1=1$, $a_{n+1}=a_n+8b_n$, $b_{n+1}=2a_n+b_n$ で定めるとき

(1)　数列 $\{a_n\}$, $\{b_n\}$ の一般項を求めよ。

(2)　$\displaystyle\lim_{n\to\infty}\frac{a_n}{2b_n}$ を求めよ。

重 要 例題 30 □ 

数列 $\{a_n\}$ が $0<a_1<3$, $a_{n+1}=1+\sqrt{1+a_n}$ $(n=1, 2, 3, \cdots\cdots)$ を満たすとき

(1) $0<a_n<3$ を証明せよ。

(2) $3-a_{n+1}<\dfrac{1}{3}(3-a_n)$ を証明せよ。

(3) 数列 $\{a_n\}$ の極限値を求めよ。

練習 (重要) **30**　$a_1=2$，$n \geqq 2$ のとき $a_n=\frac{3}{2}\sqrt{a_{n-1}}-\frac{1}{2}$ を満たす数列 $\{a_n\}$ について

(1)　すべての自然数 n に対して $a_n>1$ であることを証明せよ。

(2)　数列 $\{a_n\}$ の極限値を求めよ。

重 要 例題 31

□ 解説動画

図のような1辺の長さ a の正三角形 ABC において，頂点 A から辺 BC に下ろした垂線の足を P_1 とする。P_1 から辺 AB に下ろした垂線の足を Q_1，Q_1 から辺 CA への垂線の足を R_1，R_1 から辺 BC への垂線の足を P_2 とする。このような操作を繰り返すと，辺 BC 上に点 P_1，P_2，……，P_n，…… が定まる。このとき，点 P_n の極限の位置を求めよ。

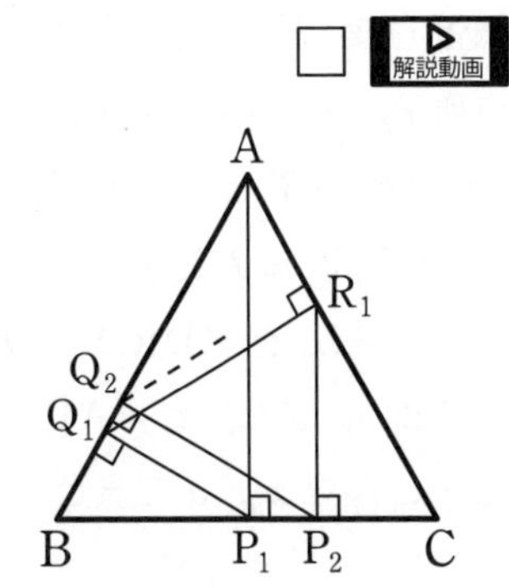

練習 (重要) **31**　1辺の長さが1の正方形ABCDの辺AB上に点B以外の点P_1をとり，辺AB上に点列P_2，P_3，…… を次のように定める。

$0° < \theta < 45°$ とし，$n=1, 2, 3, \cdots\cdots$ に対し，点P_nから出発して，辺BC上に点Q_nを$\angle BP_nQ_n=\theta$となるようにとり，辺CD上に点R_nを$\angle CQ_nR_n=\theta$となるようにとり，辺DA上に点S_nを$\angle DR_nS_n=\theta$となるようにとり，辺AB上に点P_{n+1}を$\angle AS_nP_{n+1}=\theta$となるようにとる。また，$x_n=AP_n$，$a=\tan\theta$とする。

(1)　x_{n+1}をx_n，aで表せ。

(2)　x_nをn，x_1，aで表せ。

(3)　$\displaystyle\lim_{n\to\infty} x_n$を求めよ。

重 要 例題 32 □ 解説動画

赤玉と白玉が $p:q$ の割合で入れてある袋がある。ただし，$p+q=1$，$0<p<1$ とする。この袋から玉を 1 個取り出してもとに戻す試行を n 回繰り返すとき，赤玉が奇数回取り出される確率を P_n とする。

(1) P_{n+1} を P_n，p で表せ。

(2) P_n を p，n で表せ。

(3) $\lim_{n\to\infty} P_n$ を求めよ。

練習 (重要) **32**　ある 1 面だけに印のついた立方体が水平な平面に置かれている。立方体の底面の 4 辺のうち 1 辺を等しい確率で選んで，この辺を軸にしてこの立方体を横に倒す操作を n 回続けて行ったとき，印のついた面が立方体の側面にくる確率を a_n，底面にくる確率を b_n とする。ただし，印のついた面は最初に上面にあるとする。

(1)　a_2 を求めよ。

(2)　a_{n+1} を a_n で表せ。

(3)　$\lim_{n\to\infty} a_n$ を求めよ。

4．無限級数

基本 例題 33

□ 

次の無限級数の収束，発散について調べ，収束すればその和を求めよ。

(1) $\displaystyle\sum_{n=1}^{\infty}\frac{1}{(2n+1)(2n+3)}$

(2) $\dfrac{1}{\sqrt{1}+\sqrt{3}}+\dfrac{1}{\sqrt{2}+\sqrt{4}}+\dfrac{1}{\sqrt{3}+\sqrt{5}}+\cdots\cdots$

練習 (基本) **33**　次の無限級数の収束，発散について調べ，収束すればその和を求めよ。

(1)　$\dfrac{1}{1\cdot 4}+\dfrac{1}{4\cdot 7}+\dfrac{1}{7\cdot 10}+\dfrac{1}{10\cdot 13}+\cdots\cdots$

(2)　$\displaystyle\sum_{n=2}^{\infty}\frac{1}{n^2-1}$

(3) $\displaystyle\sum_{n=1}^{\infty}\frac{1}{\sqrt{2n-1}+\sqrt{2n+1}}$

(4) $\displaystyle\sum_{n=1}^{\infty}\frac{\sqrt{n+1}-\sqrt{n}}{\sqrt{n^2+n}}$

基本 例題 34

□ 

次の無限級数は発散することを示せ。

(1) $\dfrac{1}{2}+\dfrac{5}{3}+\dfrac{9}{4}+\dfrac{13}{5}+\cdots\cdots$

(2) $\cos\pi+\cos 2\pi+\cos 3\pi+\cdots\cdots$

練習（基本）**34**　次の無限級数は発散することを示せ。

(1)　$1-2+3-4+5-\cdots\cdots$

(2)　$1+\dfrac{2}{3}+\dfrac{3}{5}+\dfrac{4}{7}+\cdots\cdots$

(3)　$\sin^2\dfrac{\pi}{2}+\sin^2\pi+\sin^2\dfrac{3}{2}\pi+\sin^2 2\pi+\cdots\cdots$

基本 例題 35

□ 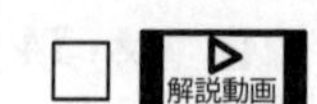

(1) 次の無限等比級数の収束，発散を調べ，収束すればその和を求めよ。

(ア) $\sqrt{3}+3+3\sqrt{3}+\cdots\cdots$

(イ) $4-2\sqrt{3}+3-\cdots\cdots$

(2) 無限級数 $\displaystyle\sum_{n=1}^{\infty}\left(\frac{1}{3}\right)^n\sin\frac{n\pi}{2}$ の和を求めよ。

練習 (基本) **35** (1) 次の無限等比級数の収束，発散を調べ，収束すればその和を求めよ。

(ア) $1-\frac{1}{3}+\frac{1}{9}-\cdots\cdots$

(イ) $2+2\sqrt{2}+4+\cdots\cdots$

(ウ) $(3+\sqrt{2})+(1-2\sqrt{2})+(5-3\sqrt{2})+\cdots\cdots$

(2) 無限級数 $\sum_{n=0}^{\infty}\frac{1}{7^n}\cos\frac{n\pi}{2}$ の和を求めよ。

基本 例題 36

無限級数 $(x-4)+\dfrac{x(x-4)}{2x-4}+\dfrac{x^2(x-4)}{(2x-4)^2}+\cdots\cdots$ $(x \fallingdotseq 2)$ について

(1) 無限級数が収束するときの実数 x の値の範囲を求めよ。

(2) 無限級数の和 S を求めよ。

練習（基本）**36**　無限等比級数 $x+x(x^2-x+1)+x(x^2-x+1)^2+\cdots\cdots$ が収束するとき，実数 x の値の範囲を求めよ。また，この無限級数の和 S を求めよ。

基本 例題 37

□ 

次の循環小数を分数に直せ。

(1)　$1.\dot{3}\dot{5}$

(2)　$0.5\dot{2}4\dot{3}$

練習 (基本) **37**　次の循環小数を分数に直せ。

(1)　$0.\dot{6}\dot{3}$

(2)　$0.0\dot{5}1\dot{8}$

(3)　$3.2\dot{1}\dot{8}$

基本 例題 38

右の図のように，$OP_1=1$，$P_1P_2=\frac{1}{2}OP_1$，$P_2P_3=\frac{1}{2}P_1P_2$，……と限りなく進むとき，点 P_1，P_2，P_3，…… はどんな点に限りなく近づくか。

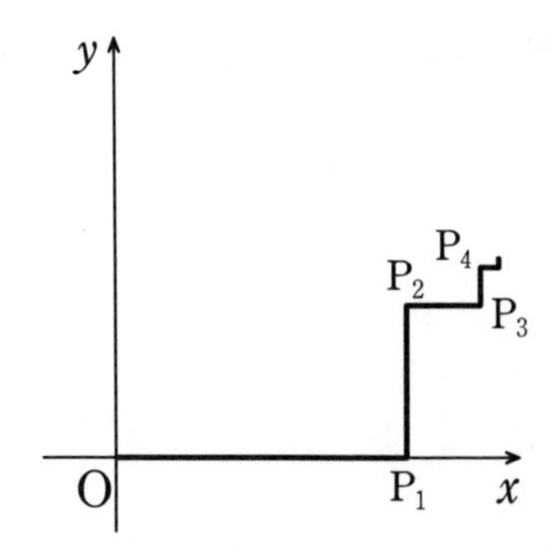

練習 (基本) **38**　あるボールを床に落とすと，ボールは常に落ちる高さの $\frac{3}{5}$ まではね返るという。このボールを $3\,\mathrm{m}$ の高さから落としたとき，静止するまでにボールが上下する距離の総和を求めよ。

基本 例題 39

□ 解説動画

$\angle XOY$ ［$=60^\circ$］の 2 辺 OX，OY に接する半径 1 の円の中心を O_1 とする。線分 OO_1 と円 O_1 との交点を中心とし，2 辺 OX，OY に接する円を O_2 とする。以下，同じようにして，順に円 O_3，……，O_n，…… を作る。このとき，円 O_1，O_2，…… の面積の総和を求めよ。

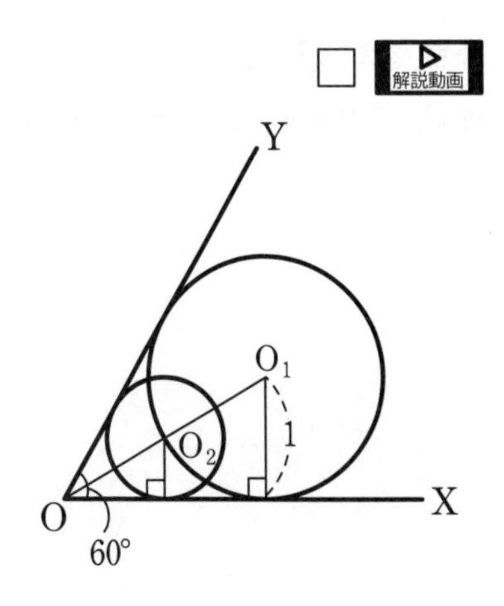

練習（基本）**39**　正方形 S_n，円 C_n （$n=1$，2，……）を次のように定める。C_n は S_n に内接し，S_{n+1} は C_n に内接する。S_1 の1辺の長さを a とするとき，円周の総和を求めよ。

基本 例題 40

面積 1 の正三角形 A_0 から始めて，図のように図形 A_1，A_2，…… を作る。ここで，A_{n+1} は A_n の各辺の三等分点を頂点にもつ正三角形を A_n の外側に付け加えてできる図形である。

(1) 図形 A_n の辺の数 a_n を求めよ。

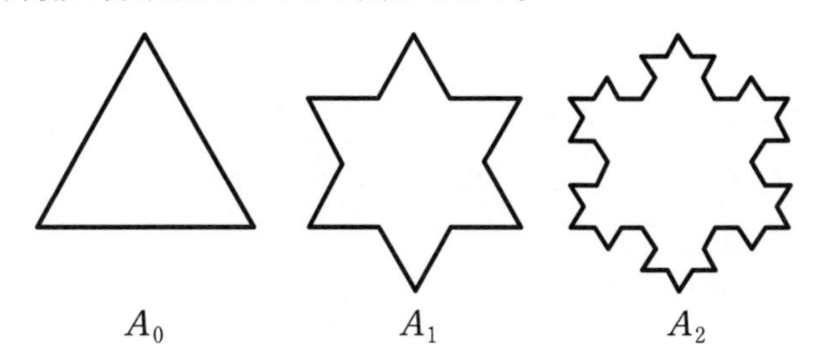

(2) 図形 A_n の周の長さを l_n とするとき，$\lim_{n\to\infty} l_n$ を求めよ。

(3)　図形 A_n の面積を S_n とするとき，$\lim_{n\to\infty} S_n$ を求めよ。

練習（基本）**40**　右図のような正六角形 $A_1B_1C_1D_1E_1F_1$ において，$\triangle A_1C_1E_1$ と $\triangle D_1F_1B_1$ の共通部分としてできる正六角形 $A_2B_2C_2D_2E_2F_2$ を考える。$A_1B_1=1$ とし，正六角形 $A_1B_1C_1D_1E_1F_1$ の面積を S_1，正六角形 $A_2B_2C_2D_2E_2F_2$ の面積を S_2 とする。同様の操作で順に正六角形を作り，それらの面積を S_3，S_4，……，S_n，…… とする。面積の総和 $\sum_{n=1}^{\infty} S_n$ を求めよ。

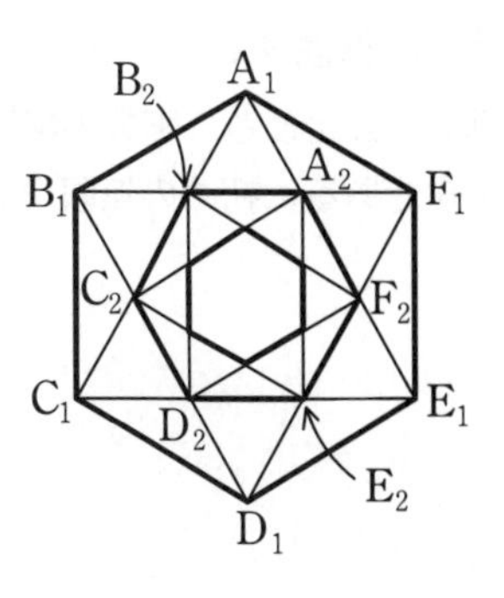

基本 例題 41

□ 

初項，公比ともに実数の無限等比級数があり，その和は3で，各項の3乗からなる無限等比級数の和は6である。初めの無限等比級数の公比を求めよ。

練習 (基本) **41**　無限等比数列 $\{a_n\}$ が $\sum_{n=1}^{\infty} a_n = \sum_{n=1}^{\infty} a_n{}^3 = 2$ を満たすとき

(1)　数列 $\{a_n\}$ の初項と公比を求めよ。

(2)　$\sum_{n=1}^{\infty} a_n{}^2$ を求めよ。

基本 例題 42 □ 

次の無限級数の収束，発散を調べ，収束すればその和を求めよ。

$$\left(2-\frac{1}{2}\right)+\left(\frac{2}{3}+\frac{1}{2^2}\right)+\left(\frac{2}{3^2}-\frac{1}{2^3}\right)+\cdots\cdots+\left\{\frac{2}{3^{n-1}}+\frac{(-1)^n}{2^n}\right\}+\cdots\cdots$$

練習 (基本) **42**　次の無限級数の収束，発散を調べ，収束すればその和を求めよ。

(1)　$\displaystyle\sum_{n=1}^{\infty}\left\{2\left(-\frac{2}{3}\right)^{n-1}+3\left(\frac{1}{4}\right)^{n-1}\right\}$

(2)　$(1-2)+\left(\frac{1}{2}+\frac{2}{3}\right)+\left(\frac{1}{2^2}-\frac{2}{3^2}\right)+\cdots\cdots$

基本 例題 43

無限級数 $1-\frac{1}{2}+\frac{1}{2}-\frac{1}{3}+\frac{1}{3}-\frac{1}{4}+\frac{1}{4}-\cdots\cdots$　……① について

(1)　級数 ① の初項から第 n 項までの部分和を S_n とするとき，S_{2n-1}，S_{2n} をそれぞれ求めよ。

(2)　級数 ① の収束，発散を調べ，収束すればその和を求めよ。

練習 (基本) **43**　次の無限級数の収束，発散を調べ，収束すればその和を求めよ。

(1)　$\frac{1}{2}+\frac{1}{3}+\frac{1}{2^2}+\frac{1}{3^2}+\frac{1}{2^3}+\frac{1}{3^3}+\cdots\cdots$

(2)　$2-\frac{3}{2}+\frac{3}{2}-\frac{4}{3}+\frac{4}{3}-\cdots\cdots-\frac{n+1}{n}+\frac{n+1}{n}-\frac{n+2}{n+1}+\cdots\cdots$

重 要 例題 44 □ 

(1) すべての自然数 n に対して，$2^n > n$ であることを示せ。

(2) 数列の和 $S_n = \sum_{k=1}^{n} k\left(\frac{1}{4}\right)^{k-1}$ を求めよ。

(3) $\lim_{n \to \infty} S_n$ を求めよ。

練習 (重要) **44**　n を 2 以上の自然数，x を $0<x<1$ である実数とし，$\dfrac{1}{x}=1+h$ とおく。

(1)　$\dfrac{1}{x^n}>\dfrac{n(n-1)}{2}h^2$ が成り立つことを示し，$\displaystyle\lim_{n\to\infty} nx^n$ を求めよ。

(2)　$S_n=1+2x+\cdots\cdots+nx^{n-1}$ とするとき，$\displaystyle\lim_{n\to\infty} S_n$ を求めよ。

重 要 例題 45

(1) すべての自然数 n に対して，$\sum_{k=1}^{2^n} \frac{1}{k} \geqq \frac{n}{2}+1$ が成り立つことを証明せよ。

(2) 無限級数 $1+\frac{1}{2}+\frac{1}{3}+\cdots\cdots+\frac{1}{n}+\cdots\cdots$ は発散することを証明せよ。

練習 (重要) **45**　無限級数 $\sum_{n=1}^{\infty}\frac{1}{n}$ は発散することを用いて，無限級数 $\sum_{n=1}^{\infty}\frac{1}{\sqrt{n}}$ は発散することを示せ。

重要例題 46

z を複素数とする。自然数 n に対し，z^n の実部と虚部をそれぞれ x_n と y_n として，2 つの数列 $\{x_n\}$，$\{y_n\}$ を考える。つまり，$z^n=x_n+iy_n$ (i は虚数単位) を満たしている。

(1)　複素数 z が正の実数 r と実数 θ を用いて $z=r(\cos\theta+i\sin\theta)$ の形で与えられたとき，数列 $\{x_n\}$，$\{y_n\}$ がともに 0 に収束するための必要十分条件を求めよ。

(2) $z=\dfrac{1+\sqrt{3}i}{10}$ のとき，無限級数 $\sum_{n=1}^{\infty} x_n$ と $\sum_{n=1}^{\infty} y_n$ はともに収束し，それぞれの和は

$\sum_{n=1}^{\infty} x_n =$ ア $\boxed{}$，$\sum_{n=1}^{\infty} y_n =$ イ $\boxed{}$ である。

練習 (重要) **46**　実数列 $\{a_n\}$，$\{b_n\}$ を，$\left(\dfrac{1+i}{2}\right)^n=a_n+ib_n$ $(n=1,\ 2,\ \cdots\cdots)$ により定める。

(1)　数列 $\{a_n{}^2+b_n{}^2\}$ の一般項を求めよ。また，$\displaystyle\lim_{n\to\infty}(a_n{}^2+b_n{}^2)$ を求めよ。

(2)　$\lim_{n\to\infty} a_n = \lim_{n\to\infty} b_n = 0$ であることを示せ。また，$\sum_{n=1}^{\infty} a_n$，$\sum_{n=1}^{\infty} b_n$ を求めよ。

5．関数の極限

基本 例題 47

□ 

次の極限値を求めよ。

(1) $\displaystyle \lim_{x\to 2}\frac{x^3-3x-2}{x^2-3x+2}$

(2) $\displaystyle \lim_{x\to 0}\frac{1}{x}\left(\frac{3}{x+3}-1\right)$

(3) $\displaystyle \lim_{x\to 4}\frac{\sqrt{x+5}-3}{x-4}$

練習 (基本) **47**　次の極限値を求めよ。

(1) $\displaystyle \lim_{x\to 1}\frac{x^2-3x+2}{x^2-5x+4}$

(2) $\displaystyle \lim_{x\to -2}\frac{x^3+3x^2-4}{x^3+8}$

(3) $\lim_{x \to 1} \frac{1}{x-1}\left(x+1+\frac{2}{x-2}\right)$

(4) $\lim_{x \to 0} \frac{\sqrt{1+x}-\sqrt{1-x}}{x}$

(5) $\lim_{x \to 2} \frac{\sqrt{2x+5}-\sqrt{4x+1}}{\sqrt{2x}-\sqrt{x+2}}$

(6) $\displaystyle\lim_{x \to 3} \frac{\sqrt{(2x-3)^2-1}-\sqrt{x^2-1}}{x-3}$

基本 例題 48

□ 

次の等式が成り立つように，定数 a，b の値を定めよ。

$$\lim_{x \to 1} \frac{a\sqrt{x+1}-b}{x-1}=\sqrt{2}$$

練習 (基本) **48**　次の等式が成り立つように，定数 a，b の値を定めよ。

(1)　$\displaystyle\lim_{x\to 4}\frac{a\sqrt{x}+b}{x-4}=2$

(2)　$\displaystyle\lim_{x\to 2}\frac{x^3+ax+b}{x-2}=17$

(3) $\displaystyle\lim_{x\to 8}\frac{ax^2+bx+8}{\sqrt[3]{x}-2}=84$

基 本 例題 49

(1) $\displaystyle\lim_{x\to 1+0}\frac{x-2}{x-1}$，$\displaystyle\lim_{x\to 1-0}\frac{x-2}{x-1}$ を求めよ。

(2) $x\longrightarrow 0$ のとき，関数 $\dfrac{x^4-x}{|x|}$ の極限は存在するかどうかを調べよ。

練習 (基本) **49**　次の関数について，x が 1 に近づくときの右側極限，左側極限を求めよ。そして，$x \longrightarrow 1$ のときの極限が存在するかどうかを調べよ。ただし，(4) の $[x]$ は x を超えない最大の整数を表す。

(1)　$\dfrac{1}{(x-1)^2}$

(2)　$\dfrac{1}{(x-1)^3}$

(3)　$\dfrac{(x+1)^2}{|x^2-1|}$

(4)　$x-[x]$

基本 例題 50

□ 解説動画

次の極限を求めよ。

(1) $\lim_{x \to \infty} (x^3 - 3x^2 + 5)$

(2) $\lim_{x \to -\infty} \dfrac{3x^2 + 4x - 1}{2x^2 - 3}$

(3) $\lim_{x \to \infty} (\sqrt{x^2 - x} - x)$

(4) $\lim_{x \to -\infty} \dfrac{4^x}{3^x + 2^x}$

練習 (基本) **50**　次の極限を求めよ。

(1)　$\lim_{x \to -\infty} (x^3 - 2x^2)$

(2)　$\lim_{x \to \infty} \dfrac{2x^2 + 3}{x^3 - 2x}$

(3)　$\lim_{x \to \infty} \dfrac{3x^3 + 1}{x + 1}$

(4)　$\lim_{x \to \infty} (\sqrt{x^2 + 2x} - x)$

(5) $\lim_{x\to\infty}\sqrt{x}(\sqrt{x+1}-\sqrt{x-1})$

(6) $\lim_{x\to\infty}\frac{2^{x-1}}{1+2^x}$

(7) $\lim_{x\to-\infty}\frac{7^x-5^x}{7^x+5^x}$

基本 例題 51

□ 

次の極限値を求めよ。

(1) $\displaystyle\lim_{x\to\infty}\left\{\frac{1}{2}\log_3 x+\log_3(\sqrt{3x+1}-\sqrt{3x-1})\right\}$

(2) $\displaystyle\lim_{x\to-\infty}(\sqrt{x^2+3x}+x)$

練習 (基本) **51**　次の極限値を求めよ。

(1)　$\displaystyle\lim_{x\to\infty}\{\log_2(8x^2+2)-2\log_2(5x+3)\}$

(2)　$\displaystyle\lim_{x\to-\infty}(\sqrt{x^2+x+1}+x)$

(3)　$\displaystyle\lim_{x\to-\infty}(3x+1+\sqrt{9x^2+1})$

基本 例題 52

□ 

次の極限値を求めよ。ただし，$[x]$ は x を超えない最大の整数を表す。

(1) $\displaystyle\lim_{x\to\infty}\frac{[3x]}{x}$

(2) $\displaystyle\lim_{x\to\infty}(3^x+5^x)^{\frac{1}{x}}$

練習 (基本) **52**　次の極限値を求めよ。ただし，[　] はガウス記号を表す。

(1)　$\displaystyle\lim_{x\to\infty}\frac{x+[2x]}{x+1}$

(2)　$\displaystyle\lim_{x\to\infty}\left\{\left(\frac{2}{3}\right)^x+\left(\frac{3}{2}\right)^x\right\}^{\frac{1}{x}}$

基本 例題 53

次の極限値を求めよ。

(1) $\displaystyle\lim_{x\to 0}\frac{\sin 3x}{x}$

(2) $\displaystyle\lim_{x\to 0}\frac{\tan x^\circ}{x}$

(3) $\displaystyle\lim_{x\to 0}\frac{x^2}{1-\cos x}$

練習 (基本) **53**　次の極限値を求めよ。

(1)　$\lim_{x\to\infty}\sin\frac{1}{x}$

(2)　$\lim_{x\to 0}\frac{\sin 4x}{3x}$

(3)　$\lim_{x\to 0}\frac{\sin 2x}{\sin 5x}$

(4)　$\lim_{x\to 0}\frac{\tan 2x}{x}$

(5)　$\lim_{x\to 0}\frac{x\sin x}{1-\cos x}$

(6)　$\lim_{x\to 0}\frac{1-\cos 2x}{x^2}$

(7)　$\lim_{x\to 0}\frac{x-\sin 2x}{\sin 3x}$

基 本 例題 54

次の極限値を求めよ。

(1) $\displaystyle\lim_{x \to \frac{\pi}{2}} \frac{\cos x}{2x - \pi}$

(2) $\displaystyle\lim_{x \to \infty} x \sin \frac{1}{x}$

(3) $\displaystyle\lim_{x \to 0} x^2 \sin \frac{1}{x}$

練習 (基本) **54**　次の極限値を求めよ。

(1) $\displaystyle\lim_{x\to\pi}\frac{(x-\pi)^2}{1+\cos x}$

(2) $\displaystyle\lim_{x\to 1}\frac{\sin \pi x}{x-1}$

(3) $\displaystyle\lim_{x\to\infty} x^2\left(1-\cos\frac{1}{x}\right)$

(4) $\displaystyle\lim_{x\to 0}\frac{\sin(2\sin x)}{3x(1+2x)}$

(5) $\displaystyle\lim_{x\to\infty}\frac{\cos x}{x}$

(6) $\displaystyle\lim_{x\to 0} x\sin^2\frac{1}{x}$

基 本 例題 55

O を原点とする座標平面上に 2 点 A (2, 0), B(0, 1) がある。点 P を辺 AB 上に, AP$=t$AB $(0<t<1)$ を満たすようにとる。$\angle$AOP$=\theta$, 線分 AP の長さを l とするとき

(1) $\dfrac{l}{\sin\theta}$ を t で表せ。

(2) 極限値 $\displaystyle\lim_{t\to 0}\frac{l}{\theta}$ を求めよ。

練習 (基本) **55**　座標平面上に点 A$(0,\ 3)$, B$(b,\ 0)$, C$(c,\ 0)$, O$(0,\ 0)$ がある。ただし，$b<0$, $c>0$, $\angle \mathrm{BAO}=2\angle \mathrm{CAO}$ である。$\angle \mathrm{BAC}=\theta$，$\triangle \mathrm{ABC}$ の面積を S とするとき，$\displaystyle\lim_{\theta\to 0}\frac{S}{\theta}$ を求めよ。

6．関数の連続性

基本 例題 56

□ 解説動画

$-1 \leqq x \leqq 2$ とする。次の関数の連続性について調べよ。

(1)　$f(x)=x|x|$

(2)　$g(x)=\dfrac{1}{(x-1)^2}$　$(x \neq 1)$，$g(1)=0$

(3)　$h(x)=[x]$　ただし，[　] はガウス記号。

練習 (基本) **56**　次の関数の連続性について調べよ。なお，(1) では関数の定義域もいえ。

(1)　$f(x)=\dfrac{x+1}{x^2-1}$

(2)　$-1 \leqq x \leqq 2$ で　$f(x)=\log_{10}\dfrac{1}{|x|}$ $(x \neq 0)$，$f(0)=0$

(3)　$0 \leqq x \leqq 2\pi$ で　$f(x)=[\cos x]$　　ただし，[　] はガウス記号。

重 要 例題 57

□ 

無限級数 $x+\dfrac{x}{1+x}+\dfrac{x}{(1+x)^2}+\cdots\cdots+\dfrac{x}{(1+x)^{n-1}}+\cdots\cdots$ について

(1)　この無限級数が収束するような x の値の範囲を求めよ。

(2)　x が (1) の範囲にあるとき，この無限級数の和を $f(x)$ とする。関数 $y=f(x)$ のグラフをかき，その連続性について調べよ。

練習 (重要) **57**　次の無限級数が収束するとき，その和を $f(x)$ とする。関数 $y=f(x)$ のグラフをかき，その連続性について調べよ。

(1)　$x^2+\dfrac{x^2}{1+2x^2}+\dfrac{x^2}{(1+2x^2)^2}+\cdots\cdots+\dfrac{x^2}{(1+2x^2)^{n-1}}+\cdots\cdots$

(2) $x+x\cdot\dfrac{1-3x}{1-2x}+x\left(\dfrac{1-3x}{1-2x}\right)^2+\cdots\cdots+x\left(\dfrac{1-3x}{1-2x}\right)^{n-1}+\cdots\cdots$

重 要 例題 58

□ 

(1)　$f(x)=\lim_{n\to\infty}\dfrac{x^{2n}-x^{2n-1}+ax^2+bx}{x^{2n}+1}$ を求めよ。

(2)　(1) で定めた関数 $f(x)$ がすべての x について連続であるように，定数 a，b の値を定めよ。

練習 (重要) **58**　a は 0 でない定数とする。関数 $f(x)=\lim_{n\to\infty}\dfrac{x^{2n+1}+(a-1)x^n-1}{x^{2n}-ax^n-1}$ が $x\geqq 0$ において連続になるように a の値を定め，$y=f(x)$ のグラフをかけ。

基本 例題 59

(1)　方程式 $3^x=2(x+1)$ は，$1<x<2$ の範囲に少なくとも 1 つの実数解をもつことを示せ。

(2) $f(x)$，$g(x)$ は区間 $[a,\ b]$ で連続な関数とする。$f(a)>g(a)$ かつ $f(b)<g(b)$ であるとき，方程式 $f(x)=g(x)$ は $a<x<b$ の範囲に少なくとも 1 つの実数解をもつことを示せ。

練習 (基本) **59** (1) 次の方程式は，与えられた範囲に少なくとも 1 つの実数解をもつことを示せ。

(ア) $x^3-2x^2-3x+1=0$ $(-2<x<-1,\ 0<x<1,\ 2<x<3)$

(イ) $\cos x=x$ $\left(0<x<\dfrac{\pi}{2}\right)$

(ウ) $\dfrac{1}{2^x}=x$ $(0<x<1)$

(2) 関数 $f(x)$, $g(x)$ は区間 $[a, b]$ で連続で, $f(x)$ の最大値は $g(x)$ の最大値より大きく, $f(x)$ の最小値は $g(x)$ の最小値より小さい。このとき, 方程式 $f(x)=g(x)$ は, $a \leqq x \leqq b$ の範囲に解をもつことを示せ。